Sébastien Tubau

Maîtriser son stress

Collection Pratiques Jouvence

Sortir du triangle dramatique, Bernard Raquin, 2007
L'art thérapie au quotidien, Sylvie Batlle, 2007
Apprendre à s'aimer, Pierre Pradervand, 2006
Le Dialogue intérieur au quotidien, Joy Manné, 2006
Vivre avec ses peurs, Chantal Calatayud, 2005
Plus jamais victime, par Pierre Pradervand, 2001
Le bonheur, ça s'apprend, par Pierre Pradervand, 2001
Développer le meilleur de soi-même, par O. Nunge et S. Mortera, 2000
La vie simple, par Pierre Pradervand, 1999
Pratique de la Communication NonViolente, par Wayland Myers, 1998
Lâcher prise, par R. Poletti & B. Dobbs, 1998
L'estime de soi, par R. Poletti & B. Dobbs, 1998
Bien vivre ici et maintenant, par O. Nunge et S. Mortera, 1998
Satisfaire son besoin de reconnaissance, par O. Nunge et S. Mortera, 1998
Vivre au positif, par Marie-France Muller, 1997
Croire en soi, par Marie-France Muller, 1997
Oser parler en public, par Marie-France Muller, 1997

Catalogue gratuit sur simple demande
Éditions Jouvence
France : BP 901077 – 74161 St Julien-en-Genevois Cedex
Suisse : Case postale 184 –1233 Genève/Bernex
Site internet : **www.editions-jouvence.com**
Email : info@editions-jouvence.com

couverture: illustration, J.-C. Marol
maquette & mise en pages: atelier weidmann

ISBN 978-2-88353-250-2

Merci…

…à ma famille pour votre soutien permanent.

…à Cyrille, Baptiste, Kostia, Grégoire, Alexandre pour votre amitié.

…à tous les participants des formations sur la gestion du stress, vous qui m'avez tant appris.

…à Toi.

Sommaire

Introduction

Le stress…
Combien de fois entendons-nous et utilisons-nous ce mot sans vraiment savoir ce qu'il recouvre, ni comment agir dessus.

Souvent, il est considéré comme une fatalité que l'on ne peut éviter, comme les aléas obligés de notre vie moderne.

Dans ces conditions, comment agir dessus si je crois ne rien pouvoir faire ? Dans tout combat, il faut connaître son adversaire, ses méthodes, son fonctionnement. C'est ce que nous allons essayer de faire dans ces quelques pages.

Et, très vite, nous prendrons conscience que le stress n'est pas un ennemi, mais un élément nécessaire à la vie, et que c'est notre propre attitude par rapport à lui qui nous pose problème.

Nous sommes responsables de ce qui nous arrive…

«Ayant bu des mers entières, nous restons tout étonnés que nos lèvres soient aussi sèches que des plages, et toujours cherchons la mer pour les y tremper sans voir que nos lèvres sont les plages et que nous sommes la mer.»

ATTÂR, poète mystique persan (XIIe et XIIIe siècles)

Qu'est-ce que le stress?

Définir le stress n'est pas une entreprise simple. Tout dépend en effet du point de vue que l'on adopte : biologique, psychologique, spirituel...

Nous sommes apparemment face à un paradoxe. Pour comprendre le stress dans la perspective globale de la nature humaine, il faut tout d'abord décortiquer l'être humain en partie distincte. Notre raison et notre pensée semblent trop limitées pour avoir une vision holistique !

Ainsi, nous allons procéder méthodiquement, partant du corps pour arriver à l'âme, en passant par la psyché : choix arbitraire, mais pratique.

Peut-être certains d'entre vous sont-ils étonnés de voir l'âme mentionnée ici. Et pourtant ?!?

Comment concevoir que nous ne soyons que corps et esprit ? La biologie et la psychologie ne peuvent tout expliquer de notre fonctionnement, et pour cause ! Nous oublions trop souvent notre dimension spirituelle. Et c'est pourtant là que notre essence réside, nos corps et esprits n'étant alors que des moyens pour agir. Par conséquent, loin de se voir dévalorisés, ces derniers sont essentiels, car sans eux nous ne pourrions réaliser qui nous sommes. C'est pour cela que les préserver, les soigner et les aimer est si important.

Une des façons parmi tant d'autres de favoriser le bon développement de nos dimensions physiques et psychologiques, réside dans la gestion efficace de notre stress…

Etymologie

Connaître l'étymologie d'un terme est loin d'être superflu. Cela nous renseigne en effet sur ce qui a voulu être traduit et transmis en codant une expérience et une idée dans le langage.

Rien qu'en se penchant sur le sens originel du mot stress, tout est dit pour ainsi dire ! On comprend ce que cela recouvre comme vécu.

Ainsi, *Stress*, dans son origine la plus directe, est un terme anglo-saxon désignant une pression, une tension. Quelqu'un de stressé est alors une personne oppressée ou tendue.

Mais on retrouve également une racine latine plus lointaine dans le verbe *stringere* signifiant serrer, resserrer, et qui donna en vieux français *estresse* désignant une étroitesse, une oppression.

Donc, quand nous nous sentons stressés, nous vivons dans notre corps une sensation d'oppression, d'étouffement ou/et de tension, de tiraillement.

Mais allons plus loin…

Définitions

La notion de stress, telle que nous l'entendons désormais, a été étudiée depuis la fin du siècle dernier.

Sentant que quelque chose se joue dans notre corps, dans nos esprits, des chercheurs (biologistes et psychologues notamment) ont essayé de percevoir et comprendre ce qui conduisait à nos réactions de stress.

Comme il a fallu tout d'abord s'entendre sur le sujet d'étude, le stress a tout d'abord été défini comme une réponse à une sollicitation de l'environnement visant l'adaptation au changement.

La réaction de stress est donc l'ensemble des réponses que nous avons dans le but de nous adapter aux modifications, exigences, contraintes ou menaces de notre environnement.

En effet, nous ne sommes pas seuls, coupés du monde extérieur. Nous interagissons continuellement avec d'autres personnes, mais aussi avec la nature, etc. Nous passons nos vies à nous positionner par rapport à ce qui nous entoure, avant tout dans le but primitif de survivre, et ensuite seulement de nous développer.

Même si dans nos sociétés modernes la question de la survie – individuelle et collective : boire, manger, se reproduire – se fait beaucoup moins sentir, elle n'en demeure pas moins présente. Avant de pouvoir faire quoi que ce soit de nos vies, il faut avant tout satisfaire nos besoins physiologiques élémentaires : quantitativement et qualitativement.

Car une fois de plus, nous sommes un tout ! Si notre corps est faible ou en mauvais état, notre personnalité ne peut s'épanouir sereinement d'une part, et du coup notre âme ne peut se réaliser pleinement d'autre part.

C'est pourquoi nous insisterons plus tard sur l'importance d'une alimentation équilibrée et saine, entre autre…

La réaction de stress

Nous venons de le voir, le stress tel que nous le concevons communément, se présente comme une réaction à un environnement, à des événements extérieurs.

Quand nous sommes stressés, nous ne sommes donc plus acteur de notre vie: nous réagissons, nous sommes sur la défensive. Nous nous faisons ainsi chahuter, malmener, en ayant toujours un train de retard sur ce qui nous arrive. Nous connaissons tous ces situations où tel un joueur de tennis dominé, nous courons d'un bout à l'autre du terrain de notre vie, sans pouvoir prendre l'initiative.

C'est en cela que le stress est épuisant, oppressant ! Très vite, si une accalmie ne se présente pas ou si nous ne trouvons pas une solution pour redevenir acteur, nous nous essoufflons, jusqu'à ne plus pouvoir rester adapté.

C'est pour schématiser ce processus que Hans SEYLE, endocrinologue canadien, un des premiers chercheurs ayant étudié de façon poussée le stress, a décrit le Syndrome Général d'Adaptation :

① L'événement se produit. Il faut que je m'adapte le plus rapidement possible afin de faire face et ne pas me laisser submerger et dominer par la situation. C'est la **phase d'alarme**.

② Tant que la situation dure, il faut que je maintienne mon effort. C'est la **phase de résistance et d'endurance**.

③ Si l'événement est trop fort en intensité, s'il perdure trop longtemps, ou si je n'ai pas réussi à m'y adapter, je n'ai plus d'énergie en moi pour continuer à faire face. C'est la **phase d'épuisement.**

Exemple

Carole est mariée depuis 6 ans et n'a pas d'enfant. Petit à petit, sa relation avec son mari se détériore : les disputes se font de plus en plus fréquentes. Son mari devient colérique, sans pour autant être violent. Un rien l'agace, l'énerve. Il se montre très susceptible.

Dans un premier temps, Carole doit s'adapter au comportement irascible de son mari. Elle cherche une solution : c'est la **phase d'alarme**.

Elle adopte vite une nouvelle façon d'agir afin d'éviter les conflits. Elle pense qu'en prenant sur elle, en cherchant à lui faire plaisir et à ne pas le contrarier, les choses vont s'arranger. Les mois passent. Carole s'épuise, s'énerve intérieurement, mais tiens bon alors que l'attitude de son époux ne change guère : c'est la **phase de résistance et d'endurance**.

Mais Carole a de plus en plus de mal à se contenir. Elle appréhende les moments où, le soir, ils se retrouvent ensemble. Elle a envie de crier, de se faire entendre, mais elle ne se sent plus la force de le faire. Elle se sent parfois vide, sans envies: c'est la **phase d'épuisement**.

Ainsi, quand nous sommes victimes du stress, que ses dégâts physiques et psychologiques se sont manifestés, c'est que nous sommes arrivés dans la phase d'épuisement.

Le plus souvent, nous aurions pu éviter d'en arriver là, ne serait-ce qu'en nous écoutant. Car avant d'avoir consommé toutes nos ressources, nos corps et inconscients nous ont envoyé des signaux d'alarme. N'ayant pas entendu les premiers avertissements, ils en ont émis de plus forts, etc.

Mais encore faut-il savoir les décrypter!

Exemple

Carole, avant de s'être complètement laissée épuiser, a connu différentes manifestations physiques: son eczéma est devenu plus virulent et présent, en particulier dans les crises aiguës avec son mari, puis se sont rajoutés des maux de dos. Elle a consulté des médecins, des dermatologues, des ostéopathes, mais rien ne fut véritablement efficace.

Ensuite, elle a connu l'angoisse: soudainement, dans la journée, elle était prise sans raison apparente de peurs, d'un malaise profond…

Sans doute que si Carole avait su entendre le langage de son corps, de son inconscient (ou qu'on lui ait appris à le faire), elle n'en serait pas arriver à l'épuisement complet. Elle aurait alors cherché d'autres solutions…

(Nous reviendrons sur ces aspects psychologiques et psychosomatiques ultérieurement).

Ainsi, l'anxiété, l'angoisse ou la dépression peuvent être des symptômes liés au stress. Mais il ne s'agit pas de stress à proprement parlé.

Il est important de différencier la cause de ses effets: pour pouvoir adopter une gestion efficace de notre fonctionnement, il s'agit, tel un médecin, d'effectuer un véritable diagnostic. Et il ne faut alors pas tout mélanger. Trop souvent d'ailleurs, nous nous arrêtons aux symptômes, pensant que guérir et avoir une action efficace consiste en éliminer la manifestation évidente du problème. Par exemple, quand nous sommes dans un état grippal, légèrement fiévreux, nous prenons facilement de quoi faire tomber la fièvre… Mais nous oublions qu'elle est une réaction naturelle de l'organisme cherchant à éliminer l'élément pathogène au sein de notre corps. Le problème n'est donc pas la fièvre en elle-même, et elle apparaît même comme une solution.

Il en est de même dans le stress : n'arrivant plus à gérer notre stress, nous plongeons dans la phase d'épuisement. Et certains troubles peuvent se faire jour : maux de tête, zonas, etc. Agir sur ces manifestations ne suffit pas : tant que le déséquilibre dû au stress ne sera pas compensé, d'autres maux se feront jour. Telle la fièvre indiquant la présence d'un virus, par exemple, nos maux quotidiens sont des signes annonciateurs d'un mauvais équilibre dans notre fonctionnement.

D'ailleurs, comme vous l'aurez compris, ce n'est pas le stress en lui-même qui est problématique : il est même nécessaire à notre survie ! Nos problèmes viennent plutôt d'une difficulté, voire une incapacité, à écouter quels sont nos besoins, à nous préserver… à nous aimer.

Le stress n'est pas une maladie !

Il faut donc bien comprendre que le stress n'est pas une maladie. C'est un processus d'adaptation normal et essentiel.

C'est grâce à lui que nous pouvons agir dans notre environnement, que nous pouvons combler nos besoins en évitant les dangers, que nous pouvons obtenir ce que nous désirons en adoptant le comportement adapté.

Mais trop souvent nous méconnaissons nos besoins, ce qu'il nous faudrait pour trouver un équilibre de vie épanouissant. Pire, nous nous détruisons délibérément et en toute connaissance de cause, allant ainsi à contre courant de ce que le processus de stress nous indique de faire pour notre bien-être.

Sans doute me trouvez-vous excessif ? Et pourtant ! Combien de fumeurs, de consommateurs d'alcool ? Combien de mangeurs de charcuterie, de hamburgers ? Combien de personnes ne faisant aucun exercice physique ?

Et bien, c'est déjà en changeant ces mauvaises habitudes quotidiennes que commence une bonne gestion du stress.

Le stress n'est pas une maladie..
Le stress est un phénomène normal.
Le stress concerne chacun d'entre nous.

Les causes de stress: les stresseurs

Nous l'avons dit, la première étape essentielle dans la compréhension du stress, dans l'évaluation de notre plus ou moins bonne gestion du stress, consiste à identifier les différents éléments en jeu: les causes de stress, les manifestations d'un stress mal géré, le ressources pour rééquilibrer notre vie...

Nous allons maintenant regarder de plus près ce que sont les stresseurs, c'est-à-dire les sources et causes du stress, les éléments nous demandant un effort d'adaptation.

Les stresseurs liés à l'environnement

Nous évoluons tous dans un environnement donné, dans une région et dans un espace particulier. Nous devons nous adapter aux différentes composantes de cet environnement, ce qui nous demande plus ou moins d'effort selon les facteurs auxquels nous sommes confrontés.

Le climat: nous sentons d'instinct que le climat agit directement sur notre moral, sur notre énergie. Et en effet, vivre par –20°C nous demande bien plus d'efforts d'adaptation que par +20°C. Le corps a besoin de plus d'énergie quand il fait froid pour maintenir la température du corps constante.

Mais la durée changeante des journées nous demande aussi un effort d'adaptation sans que nous en ayons véritablement conscience (à moins de provoquer un décalage horaire comme avec l'heure d'été et d'hiver).

La luminosité: Nous savons désormais que notre organisme a besoin de lumière pour son équilibre. Ainsi, certaines dépressions saisonnières ont un lien direct avec le manque de lumière, du moins avec une lumière apparentée à celle du soleil. Et l'on voit se développer dans certains hôpitaux et cliniques des photothérapies, des thérapies à la lumière.

Mais il y a aussi la visibilité qui est un stresseur important: nous avons tous bien conscience que nous fournissons plus d'efforts d'adaptation lorsque nous évoluons dans une semi-pénombre ou dans une trop forte luminosité comme en pleine mer ou en montagne, mais aussi dans un épais brouillard. Tout conducteur sait qu'il est plus fatigant de conduire de nuit ou dans la brume. C'est-à-dire que nous développons plus d'efforts afin de ne pas avoir d'accident !

Si l'on considère ne serait-ce que ces deux stresseurs, peut-être peut-on y voir des causes du taux élevé de dépression et de suicide dans certaines régions des pays nordiques ?

Le bruit : C'est sans doute un des stresseurs environnementaux les plus fréquents et les plus nuisibles dans nos sociétés. La pollution sonore pourrait être considérée comme un véritable problème de santé publique tant elle est répandue.

Ses dangers se situent à deux niveaux : l'intensité et la durée. L'ouïe, comme tous nos sens, est un formidable instrument d'adaptation. Elle nous permet d'entendre ou d'écouter, de faire un tri dans la multitude d'informations sonores nous parvenant continuellement. Sans cette aptitude, sans le processus de stress, nous serions sans cesse envahis de sons incompréhensibles. C'est ce processus qui fait que même habitant sur le bord d'une route passagère, nous finissons par ne plus « entendre » les voitures. Pourtant, les sons nous parviennent toujours aux oreilles.

Le problème est que si ce bruit est continuel, nous allons passé de la phase d'endurance à celle d'épuisement.

Ce n'est pas parce que nous sommes habitués à un stresseur que nous ne dépensons plus d'énergie pour y rester adaptés.

C'est en cela que le bruit est pernicieux. Nous nous y faisons très bien, et pourtant il tend irrémédiablement à nous épuiser.

C'est pour cela qu'il est important de ne pas en rajouter dans la surenchère sonore, et que pour une bonne gestion du stress sonore, il est entre autre important de se ménager des périodes de repos pour l'oreille. Le problème bien souvent, c'est que notre ouïe s'est trop bien adaptée au bruit. Ainsi, se plonger dans le silence peut demander un effort d'adaptation, et l'on peut préférer mettre de la musique par exemple.

Exemple

David est un jeune homme ayant habité toute sa vie dans la banlieue d'une grande ville, à proximité d'un important axe routier.

Il raconte qu'un jour, en allant passer une semaine à la campagne, il y avait tellement peu de bruits qu'il eut beaucoup de mal à dormir les deux premières nuits, et qu'il était anxieux. Puis, il s'adapta à cette nouvelle situation, tant et si bien qu'à son retour chez lui, le bruit lui paraissait insupportable ! Il devait s'y adapter de nouveau.

Cette expérience de quelques jours au calme lui fit prendre conscience que sa fatigue chronique tenait en partie au bruit qui l'épuisait à la longue.

Exemple

Nous avons rencontré Roger dans un groupe de formation à la gestion du stress que nous animions.

Il nous raconta comment, ayant vécu près de dix ans au bord d'une voie ferrée, il se réveilla une nuit à l'heure précise où un train aurait normalement dû passer, comme toutes les nuits: une grève perturbait le trafic, et Roger devait s'habituer à cette nouvelle situation…

A titre indicatif, différentes études montrent que le niveau sonore ambiant (fenêtres fermées pour les pièces habitables) ne devrait pas dépasser de jour 60dB (A), et de nuit 40dB (A). Au-dessus de ces valeurs, il y aura gêne ou nuisance indiscutable.

De plus, il y aura gêne lorsque l'augmentation d'intensité sonore produite par un bruit perturbateur (distinct du bruit de fond), par rapport à la valeur minimale du bruit ambiant, dépassera de jour +5dB (A), de nuit +3db (A).

Pour se repérer, on peut considérer que le niveau sonore d'un scooter ou d'une voiture se situe plus ou moins entre 80 et 90dB (A).

Le confinement, la promiscuité : Le fait d'évoluer dans un espace clos et petit, ainsi que d'être dans un rapprochement physique important avec d'autres personnes, sont des stresseurs importants.

On retrouve ces stresseurs portés à l'extrême dans les situations d'emprisonnement. D'ailleurs peut-être que l'on peut y voir une des causes de l'importance des suicides, agressions et automutilations en prison... Moins dramatiquement, prendre les transports en commun est source de stress.

Quoiqu'il en soit, ces stresseurs mettent l'accent sur une caractéristique des êtres vivants, et *a fortiori* des humains : nos limites physiques dépassent sans aucun doute la frontière de notre peau. Tout d'abord, symboliquement, il existe des différences culturelles et sociales : le contact physique n'est pas le même avec un ami qu'avec un collègue, on s'embrassera plus facilement dans tel pays que dans tel autre, etc.

Ensuite, les traditions orientales nous apprennent que nous avons non seulement un corps physique, mais aussi un corps éthérique, un corps aurique (l'aura), etc., qui dépassent largement nos simples limites physiques.

Il est donc important de respecter notre « espace vital », ainsi que celui de notre entourage

Les stresseurs quotidiens

Nous sommes donc continuellement soumis à l'influence de stresseurs. Ils sont en général peu importants individuellement, et nous parvenons relativement bien à les gérer. Les difficultés surviennent quand ces stresseurs quotidiens s'additionnent les uns aux autres.

Il suffit alors que nous soyons fatigués, las, et ces petits stresseurs peuvent tout d'un coup paraître insurmontables. C'est pour prévenir ces situations embarrassantes qu'il est important de réfléchir à son mode de vie, de s'intéresser aux plus petites choses jalonnant notre quotidien. Trop souvent, nous n'avons pas décidé de comment nous voulons mener notre vie : nous faisons face aux événements, au fur et à mesure de leur venue. Nous réagissons, mais nous n'agissons pas véritablement !

Et en matière de gestion du stress, il n'est souvent pas nécessaire de remettre en cause toute notre vie pour y apporter une amélioration. On peut d'ores et déjà commencer en agissant sur de petits détails (en apparence)…

Soucis ménagers : bien que les femmes soient encore les principales concernées, de plus en plus d'hommes sont aussi en cause dans la bonne marche du ménage. Préparation des repas, ménage, courses, enfants, animaux, etc., et la liste n'est pas exhaustive. Quand on pense qu'une personne peut trouver à s'occuper à plein temps pour maintenir en ordre une maison, pour s'occuper d'une famille, on imagine qu'accomplir le même travail tout en travaillant à l'extérieur n'est pas une mince affaire ! D'ailleurs, nous tirons notre chapeau à toutes les femmes qui parviennent à mener les deux de front !

Mais attention à ne pas vous laisser déborder, à ne pas vous épuiser à la tâche. Etes-vous sûrs de ne pas pouvoir mieux vous organiser ? Ne pourriez-vous pas vous soulager de certaines tâches ?

Au sein des groupes de formation rencontrés, de nombreuses femmes admettent être les seules à s'occuper réellement du ménage… en plus de leur travail. Elles posent cette situation comme un fait établi, oubliant ainsi que rien n'est jamais immuable. Encore faut-il tenter de faire bouger les choses !

Exemple

Anna est une jeune femme d'origine italienne, de Naples, ayant grandi principalement en Suisse. Elle a épousé à 19 ans Fabrizio, lui aussi d'origine italienne, mais ayant toujours vécu en Suisse.

Anna assiste à la formation sur la gestion du stress car elle se sent épuisée et débordée. Elle ne comprend pas pourquoi : ne travaillant que quatre jours par semaine, elle estime qu'elle ne devrait pas être fatiguée ainsi.

En lui demandant de raconter comment s'organisent ses journées, elle décrit un emploi du temps digne d'un ministre : deux enfants en bas âge à s'occuper, seule ; un chien à promener ; un appartement à entretenir, seule ; les courses, la comptabilité familiale, toujours seule, etc.

L'ensemble du groupe est surpris par la quantité de tâches à accomplir, d'autant plus qu'elle se présentait comme ne faisant rien (c'était du moins sa croyance). De voir Anna raconter ses journées harassantes, de nombreuses femmes du groupe prennent conscience qu'elles aussi sont souvent seules à gérer les tâches ménagères.

Nous demandons ensuite à Anna ce que fait Fabrizio pour l'aider : elle réfléchit et se rend compte qu'en répondant qu'il travaille dur toute la journée, le partage des tâches est inégal.

Nous allons plus loin avec Anna: qu'a-t-elle donc fait jusqu'ici pour rééquilibrer la donne? A-t-elle déjà demandé à son mari de l'aider?

Non! Elle n'a jamais osé, répond-elle. Elle pensait jusque là que c'était son rôle de femme et de mère de s'occuper de tout l'aspect ménager. De plus, elle était persuadé que jamais, Ô grand jamais, son mari n'accepterait de faire quoi que ce soit: «Car chez nous, à Naples, les hommes ne s'occupent pas de tout ça».

Mais sous la pression du groupe, notamment des autres femmes (les hommes restant comme par hasard très en retrait de la discussion), Anna se décide à en parler le soir même à Fabrizio.

Le lendemain, tout le monde est dans l'expectative: comment a donc réagi Fabrizio? A-t-il accepté d'aider sa femme, ou non?

Anna souriante et manifestement contente d'avoir osé demander, nous dit alors qu'à sa grande surprise, son mari s'est excusé de ne pas s'être rendu compte par lui-même du déséquilibre au sein du couple, et qu'il allait dorénavant prendre sa place une semaine sur deux... Il fit même le dîner ce soir là!

Cet exemple est très révélateur :

Rien n'est immuable et acquis pour toujours.
Nos propres croyances nous rendent aveugles et impuissants.
Nous présupposons trop souvent de la réaction d'autrui.
Communiquer nos besoins et nos ressentis est primordial dans une relation.

EXERCICE

Sur une échelle de 1 à 10, où 1 indique le moins stressant et 10 le plus stressant, évaluez spontanément le niveau de stress provoqué par les tâches ménagères que vous devez assumer.

1...2...3...4...5...6...7...8...9...10
–   +

Si vous avez plus de 5, vous pouvez considérer qu'il serait profitable de changer les choses.

Ensuite, par écrit, énumérez les différentes tâches ménagères que vous effectuez en une semaine, en plus de votre travail. Faites de même pour toute personne vivant avec vous (capable de vous aider).

Observez la répartition des tâches: est-ce équilibré?

A partir de cet état des lieux, voyez comment une nouvelle répartition plus harmonieuse pourrait se faire (sans vous dire que cela ne sera jamais accepté, etc.).

Enfin, osez proposer un changement à votre entourage, en faisant bien entendre votre besoin de réorganiser les choses, pour vous soulager.

Petit conseil: n'imposez rien de façon directe et péremptoire, c'est le meilleur moyen de provoquer le refus de votre interlocuteur. Engagez toujours la conversation en exposant simplement votre ressenti et vos besoins…

Problèmes relationnels: Nous l'avons tous expérimenté un jour: les difficultés relationnelles peuvent réellement empoisonner notre existence, débordant largement le cadre familial, professionnel, etc., dans lequel elles émergent.

Une dispute avec son conjoint par exemple, peut ainsi déteindre sur tous les autres pans de notre vie, nous rendant moins performants au travail, moins disponibles auprès de nos amis, de nos enfants…

Mais l'absence de relations satisfaisantes ou suffisantes est aussi un facteur de stress important. La solitude peut être très difficile à vivre pour certains.

A la différence des soucis ménagers sur lesquels on peut assez facilement agir, le domaine du relationnel est plus complexe, et parfois insaisissable par nous-mêmes. En effet, des aspects très profonds – et souvent inconscients – de notre personnalité sont en jeu dans la relation à autrui : l'image et l'estime de soi, notre relation avec nos parents, nos croyances sur nous-mêmes et sur les autres, etc.

On pourrait écrire et réfléchir toute une vie sur le sujet sans en avoir fait le tour, loin de là !

Néanmoins, une chose est sûre: plus je suis dans l'amour de moi et donc des autres, moins mes relations seront conflictuelles. Et communiquer ses sentiments, son ressenti, c'est une preuve d'amour: envers moi-même car je m'autorise à faire connaître et respecter mes besoins, envers l'autre car en m'ouvrant à lui je le considère et je le reconnais.

EXERCICE

Pensez à une situation relationnelle conflictuelle: soit parce qu'elle revient souvent, soit une récente qui vous a marqué.

Décrivez-la succinctement en haut d'une page.

En-dessous, tracez cinq colonnes correspondant aux cinq questions suivantes:

① Pourquoi y a-t-il eu conflit?
② Comment ai-je réagi?
③ Comment aurai-je pu réagir pour dépasser le conflit?
④ Pourquoi ne l'ai-je pas fait? (Qu'ai-je crû qu'il arriverait si je l'avais fait?)
⑤ Que ferai-je la prochaine fois?

Répondez à ces questions le plus honnêtement possible, quitte à le faire en plusieurs fois...

Mauvaise gestion du temps: horaires chargés, manque de temps, journées trop courtes... Combien rêveraient d'avoir des journées de plus de 24 heures ? Et pourtant, il y a fort à parier qu'ils seraient encore débordés !

Qu'est-ce qui peut bien faire que certains d'entre nous sont toujours à courir après leurs rendezvous, à ne jamais parvenir à réaliser tout ce qu'ils auraient souhaités ?

Deux cas de figures s'offrent à nous :

- un manque d'organisation pur et simple : souvent, le fait de s'asseoir, de prendre un agenda et d'évaluer de manière plus large le temps nécessaire suffit à corriger le tir.
- « Les yeux plus gros que le ventre » : la crainte du vide, de se retrouver seul face à soi-même, peut nous amener à délibérément choisir d'être débordés. L'hyperactivité apparaît alors comme une fuite de son anxiété.

De plus, nous oublions trop souvent de nous donner le droit de ne rien faire ! Ce n'est d'ailleurs pas la bonne expression. Il est très important de se ***laisser du temps pour être*** : juste pour être, et pas uniquement pour faire et être productif.

Mais ce temps doit cependant être constructif pour être épanouissant. C'est l'occasion par exemple de s'adonner à une passion ou un loisir : jouer d'un instrument, peindre, écrire, se promener…

On peut aussi tout simplement méditer.

Cela paraît simple, et pourtant peu de gens savent faire cela. En effet, se perdre devant la télé, dans une musique trop forte ou encore dans le sport, ce n'est pas ce que nous appellerions «prendre du temps pour être».

Il s'agit plutôt de se retrouver, de se reconnecter à soi-même. Cela peut bien-sûr se faire dans une activité : mais il faut alors réaliser cette activité de façon consciente, dans la conscience de nous-mêmes.

Au quotidien, s'arrêter cinq minutes et prendre conscience de la chaise sur laquelle nous sommes assis, de la température de l'air au contact de notre peau, du souffle du vent, de l'arbre devant moi, du parfum des fleurs, etc., contribue grandement à expérimenter la conscience de moi-même.

Il est essentiel de savoir prendre du temps pour soi, sans culpabilité, avec plaisir. Trop souvent, nous négligeons ces instants primordiaux car cela peut paraître une perte de temps, ou encore par manque apparent de temps.

Mais cela permet de nous ressourcer, et donc d'éviter l'épuisement. C'est donc d'une certaine façon «productif» au long terme.

Et c'est aussi et surtout vrai pour les enfants : il est essentiel qu'ils puissent se retrouver avec du temps rien que pour eux, sans cours de danse, de dessin, d'entraînement de football, etc.

Pour que l'enfant devienne un adulte équilibré, il faut entre autre qu'il ait pu développer sa vie intérieure, son imagination.

Nous avons souvent entendu nos parents et grands-parents nous dire que dans leur jeunesse, un bout de bois et une ficelle suffisait à les occuper et à les amuser. Je crois enfin comprendre ce qu'ils voulaient dire par là : ce qui est important pour l'enfant n'est pas tant la sophistication d'un jouet, ni l'acquisition du dernier jeu à la mode… C'est la vie intérieure, ce que l'imagination est capable d'inventer à partir de presque rien.

Il semble que plus la technique se développe, moins il y a de la place laissée à l'imaginaire. En ce sens, le développement des jeux vidéos (comme de la télévision) est nocif pour la richesse intérieure de nos enfants. De même que pour la nourriture, on tend à leur servir du « prêt à penser », du « prêt à rêver », où tout est déjà digéré !

Et il est de la responsabilité des parents de proposer d'autres alternatives à leurs enfants. Car en laissant ainsi faire, en succombant « confortablement » aux exigences de nos rejetons, nous ne leur permettons pas de développer les moyens de s'adapter et se développer dans le monde réel : sans nul doute cette génération « virtuelle » connaîtra une croissance des troubles liés au stress.

Ils seront démunis face aux situations stressantes, n'ayant pas pu développer des outils intérieurs pour y faire face.

EXERCICE

Pour chacun des secteurs de votre vie (cf. exemples ci-dessous), tracez sur une feuille des parts de «camembert» en fonction du temps qu'ils occupent dans votre vie actuelle :

- Vie familiale (vous pouvez différencier votre vie conjugale de votre vie parentale)
- Vie professionnelle (travail, formation, recherche d'emploi)
- Loisirs
- Vie amicale
- Vie associative
- Vie spirituelle
- Temps libre (à ne rien faire, à être)

Exemple

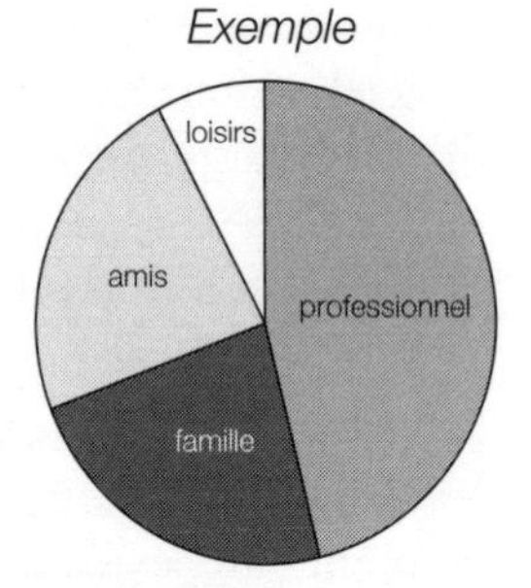

En procédant de la même manière, dans un deuxième camembert représentez votre « emploi du temps » idéal, en réservant du temps pour les loisirs, du temps libre…

Observez ce qui diffère !

Que pouvez-vous changer dès aujourd'hui pour vous rapprocher de cet idéal ?

Tracas de santé : Nul besoin d'insister sur le fait que des problèmes de santé sont des stresseurs qui peuvent être importants, voire envahissants. Du simple rhume à la maladie chronique, notre état de santé aura des conséquences sur notre comportement, notre moral, notre efficacité.

Mais bien souvent, notre santé défaillante est le résultat d'uns stress mal géré, de notre épuisement. Notre corps réagit alors pour nous prévenir que nous ne pouvons continuer à vivre ainsi, que des changements sont nécessaires. Nous parlons là des maladies dites psychosomatiques, c'est-à-dire dans lesquelles la psyché et le corps (soma en grec) ont une action.

Mais nous reviendrons plus en détail sur cet aspect ultérieurement.

Difficultés financières : « L'argent ne fait pas le bonheur mais il y contribue », comme l'on dit couramment. Et il est certain que le manque d'argent, les dettes et emprunts que l'on ne parvient pas à rembourser, peuvent mobiliser toute notre énergie.

Parfois, des situations inconfortables pourraient être évitées si nous parvenions à mieux gérer nos dépenses, à anticiper celles à venir. Comme pour la gestion du temps, un peu de méthode ou une aide extérieure peuvent nous aider à y voir plus clair.

Mais il n'est pas toujours évident de résister à l'appel de la consommation : après tout, tout nous y conditionne. La publicité, les organismes de crédit, les « facilités » de paiement peuvent vite devenir des pièges si l'on en abuse.

Là encore, comme pour la gestion du temps, il faut pouvoir prendre conscience que l'on existe et que l'on peut être sans forcément consommer !

A méditer…

Tracas professionnels : La part que nous donnons à notre vie professionnelle est sans aucun doute sur dimensionnée. Toujours est-il que nous pensons souvent ne pas avoir le choix. Et on peut comprendre alors que notre travail et son environnement peuvent peser lourd dans la balance du stress.

Mais une fois encore, rien n'est jamais inéluctable, et nous avons toujours la possibilité d'être acteur de nos vies, même si cela peut parfois être difficile à assumer. Cependant, dans le domaine de la gestion du stress, la recette, la potion magique, c'est d'être acteur de sa vie, et non pas en réaction.

Même si c'est parfois difficile à entendre, on peut toujours choisir de ne pas subir une situation, comme on peut choisir à un certain niveau de le faire.

Il faut que nous prenions conscience de notre responsabilité : si nous pensons que nous avons un libre-arbitre, nous avons alors le devoir envers nous-mêmes de l'utiliser en créant notre vie, et non pas seulement en la subissant. Réfléchissez bien : combien de fois vous positionnez vous en victime, baissant les bras ?

Dans la gestion du stress comme dans tout autre domaine, il n'y a aucune solution miracle : c'est à chacun d'entre nous de prendre notre vie en main. En tout cas, nous avons le choix de le faire ou non.

Certaines entreprises prennent petit à petit conscience de l'importance de donner de bonnes conditions de travail à leurs employés. Gageons que cela soit par pure philanthropie !

Mais restons pragmatique. Selon le rapport annuel de 1993 du Bureau International du Travail (B.I.T.), « le stress est devenu l'un des plus graves problèmes de notre temps : il met en péril la santé physique et mentale des individus et, en outre, il coûte très cher aux entreprises et à l'économie nationale ».

Ainsi, à la même époque, on estimait qu'aux Etats-Unis le stress aurait coûté à l'industrie quelque 200 milliards de dollars par an (absentéisme, pertes de productivité, indemnités d'assurance santé, frais médicaux directs), et qu'au Royaume-Uni il aurait pu représenter jusqu'à 10 % du PNB.

Plus récemment en Suisse, en 2000, le Secrétariat d'Etat à l'économie s'est penché sur la question du stress au travail. Résultats : les personnes souffrant du stress sont de plus en plus nombreuses, et ils coûtent 4,2 milliards de francs suisses par an à la société.

Néanmoins, des expériences intéressantes sont tentées ici et là. Ainsi, certaines entreprises de la Silicon Valley, centre névralgique de la création et production informatique situé en Californie, ont proposé un programme anti-stress aux employés qui le désirent. Tout d'abord, on ne fume pas et on ne boit pas de café durant les pauses. Par contre, on peut aller méditer en groupe. Cela peut nous paraître étrange, et pourtant ces entreprises voient leur taux d'absentéisme diminuer, et la productivité augmenter.

Mais en occident, nous sommes encore loin de connaître l'ampleur que peut prendre le stress professionnel au Japon.

Selon une enquête du quotidien *YOMIURI* datée du 30/07/2000, « 60 % des japonais – dont 71 % d'hommes et parmi eux 36 % âgés de 25 à 49 ans – sont stressés sur leur lieu de travail » (contre environ 25 % en Europe). D'après le Ministère du Travail japonais, 46 % des hommes actifs de plus de 40 ans se disent « surmenés » et craignent le *karôshi*. De *Ka* (excès), *Rô* (travail) et *Shi* (mort). Ainsi, chaque année au Japon, des milliers de travailleurs succombent à cette mort subite causée par un surmenage, le plus souvent par accident vasculaire cérébral ou infarctus du myocarde. Les principales causes citées sont la surcharge de travail, la fatigue qui en découle, le sentiment d'un avenir incertain, et l'impression d'avoir « une vie sans but précis ».

Tout est dit : « une vie sans but précis » est un stresseur majeur. On ne peut en effet faire l'économie d'une telle question. Quel sens puis-je donner à ma vie ? Comment donner du sens à tout ce que je fais, même la tâche la plus insignifiante ?

Ne pas prendre conscience du but de ma vie, du sens que je veux lui donner, revient à envoyer un bateau en pleine mer sans cartes et instruments de navigation. Il risque de tourner en rond et de couler. Alors qu'en pouvant se repérer, quand bien même une tempête survient, que les vagues se creusent, qu'il faut détourner son chemin, il parvient à garder le cap. Il n'est jamais perdu.

Mais comment trouver ce cap me direz-vous ? Certains diront que c'est la foi qui les guide continuellement. Tout en étant d'accord, je pense que la première étape consiste à reconnaître nos différentes dimensions. Nous pourrions dire que nous sommes constitués de quatre corps : un corps physique, un corps émotionnel, un corps intellectuel et un corps spirituel.

Il est crucial pour notre épanouissement de contacter ces quatre corps afin de pouvoir avancer.

Imaginer notre bateau sans mât, sans voiles ou sans gouvernail. Il ne peut survivre et avancer que s'il est complet. Il en est de même pour nous !

Et cette question du sens de sa vie est d'autant plus importante que nous avons à préparer notre retraite. Après avoir été conditionné durant notre jeunesse à travailler et à produire, après avoir travaillé parfois près de 50 ans, qu'allons nous faire de notre retraite ?

Connaissez-vous l'importance des dépressions et des suicides chez les personnes âgées ? Il se peut que non, étant donné que nous ne parlons jamais de cette tranche de nos vies ! Et pourtant, que vous preniez votre retraite à 55 ans ou à 65 ans, mesurez-vous bien que nous pouvons vivre 20, 30, voire 40 ans encore ? Ce n'est pas rien, loin de là ! Et la plupart d'entre nous ne s'y préparent pas vraiment !

Pour éclaircir ce point, je citerai un passage écrit par Henri Laborit (professeur en médecine français ayant beaucoup travaillé sur la biologie des comportements) dans son livre *Eloge de la fuite* (1976) :

> Des sociétés qui ont établi leurs échelles de dominance, donc de bonheur, sur la production de marchandises, apprennent aux individus qui les composent à n'être motivé que par leur promotion sociale dans un système de production de marchandises. Cette promotion sociale décidera du nombre

de marchandises auquel vous avez droit, et de l'idée complaisante que l'individu se fera de lui-même par rapport aux autres. Elle satisfera son narcissisme. Les automatismes créés dès l'enfance dans son système nerveux n'ayant qu'un seul but, le faire entrer au plus vite dans un système de production, se trouveront sans objet à l'âge de la retraite, c'est pourquoi celle-ci est rarement le début de l'apprentissage du bonheur, mais le plus souvent celui de l'apprentissage du désespoir.

Il nous appartient donc d'éviter ce désespoir si fréquent en développant d'autres aspects de nous-mêmes, d'autres valeurs de vie que celles encouragées par le monde du travail…

Les aspects biologiques et psychologiques du stress

Nous l'avons déjà écrit : l'homme est un tout, et vouloir l'aborder sous l'un ou l'autre de ses multiples aspects est forcément réducteur, voire caricatural.

Ainsi, comment concevoir que le point de vue biologique puisse expliquer à lui seul le fonctionnement de l'individu. Et pourtant, c'est ce que la médecine allopathique dans ce qu'elle a de plus rigide cherche à nous faire croire. Le matérialisme à outrance dont souffrent nos sociétés règne en maître dans la médecine classique. Le vivant n'apparaît plus alors que comme une mécanique dont on peut changer les pièces, qui s'enraye et casse parfois, qui n'aurait aucun lien avec ce qui fait véritablement de nous des êtres humains : nos dimensions psychologique et spirituelle.

Cependant, face à cette position intenable et tyrannique, se développe une conscience holistique, intégrant toutes nos dimensions. Le développement des médecines « parallèles » en est la manifestation la plus flagrante. Et pourtant, rien de nouveau sous le soleil ! Le plus souvent, nous ne faisons que redécouvrir des techniques et des savoirs ancestraux : acupuncture, shiatsu, reiki…

La résistance s'organise contre la dictature du matérialisme. Le bon sens et la sagesse tentent de reprendre leur place au sein des Hommes. Tous ce que les chamans et les guérisseurs en tous genre nous ont transmis sur l'être humain a bien failli disparaître, mais espérons que les consciences s'éveilleront suffisamment tôt pour ne pas perdre de si précieuses connaissances.

**L'Homme est un Tout dans le Tout,
et il doit être considéré comme tel,
pour le bien-être de tous !**

Les aspects biologique du stress

N'étant pas spécialiste de la question, nous ne nous attarderons pas outre mesure sur ce point au demeurant passionnant.

Néanmoins, nous devons nous arrêter sur un point crucial pour la compréhension du stress : les possibilités d'action que nous avons pour nous adapter à des situations nouvelles ou menaçantes. Nous reposant sur les travaux de Cannon et Laborit, nous apprenons que pour s'adapter et évoluer dans leur environnement, les animaux – donc l'Homme qui est un animal – doivent pouvoir agir, grâce à leurs corps. Mais nos actions sont limitées, et nous pouvons les distinguer sous quatre grands types de comportement.

- Un comportement élémentaire de **survie**: boire et manger pour que l'individu maintienne sa structure; copuler pour que le groupe puisse perdurer.
- Un comportement de **lutte.**
- Un comportement de **fuite.**
- Un comportement d'**inhibition**: lorsque l'individu a appris qu'il ne servait à rien d'agir, que le fuite ou la lutte ne permettaient pas d'éviter la punition, la menace, il adopte alors un comportement d'inhibition de l'action. Il attend en tension.

Laborit a très bien mis en évidence ces comportements, entre autre avec ses célèbres expériences sur les rats.

1re expérience: la fuite

Dans une cage séparée en deux par une cloison possédant une trappe que l'on peut ou non ouvrir, on place un rat dans la partie où le plancher peut être électrifié, alors que l'autre partie ne l'est pas, la trappe étant ouverte.

Un signal sonore retentit, et quatre secondes après, un courant électrique passe dans le plancher. Le rat d'abord surpris, trouve très vite la trappe et passe de l'autre côté de la cage, évitant ainsi la punition du petit choc électrique dans les pattes. Ce choc électrique n'est absolument pas nocif pour la santé du rat.

On reproduit plusieurs fois l'expérience, et très vite, le rat apprend à éviter la punition en passant de l'autre côté de la cage quand le signal sonore retentit.

On peut reconduire plusieurs fois cette expérience, et le rat qui peut fuir reste en très bon état, en très bonne santé.

2e expérience: l'inhibition de l'action

Dans cette deuxième expérience, le rat est placé dans la même cage, mais la trappe qui lui permettait de fuir est fermée. On recommence à diffuser le stimulus sonore avant d'envoyer le courant électrique dans le plancher. Le rat cherche tout d'abord un moyen d'éviter la punition du choc électrique, mais il apprend très vite qu'il ne peut rien faire. Il adopte alors un comportement d'inhibition, il attend en tension.

Très vite, ce rat développera des troubles pathologiques : hypertension artérielle, ulcères… Son poil sera en mauvais état. Tout cela alors que le courant électrique en lui-même n'est pas nocif.

3ᵉ expérience : la lutte

On replace un rat dans la même cage, la trappe étant toujours fermée. Mais cette fois-ci, un deuxième rat tiendra compagnie au premier, dans la même partie de cage.

Après le signal sonore, le courant électrique est diffusé dans le plancher. Les rats ne peuvent toujours pas fuir la punition, par contre ils adoptent un comportement de lutte. Ils se battent entre eux. Cette lutte ne sert à rien, elle ne permet pas d'éviter la punition. Après plusieurs séances, les rats sont en toujours en très bonne santé. Ils ne font aucun accident pathologique comme le rat seul dans l'expérience précédente, alors qu'ils ont subi les mêmes punitions électriques.

Ces résultats s'expliquent par le fait qu'un système nerveux, c'est fait pour agir. Une situation de stress sollicite notre système nerveux, provoquant l'action, telles la fuite et la lutte. Mais même s'il ne nous est pas possible d'agir sur l'extérieur, sur notre environnement, nous pouvons encore agir d'une manière : sur nous-mêmes.

C'est ainsi que nous somatisons, que nous développons des maladies...

Nous l'avons vu, le stress n'est pas une maladie, mais de même qu'un médicament utile peut devenir nuisible au-delà de certaines doses, des réactions de stress trop intenses, trop souvent répétées, ou encore trop prolongées et mal gérées, peuvent avoir une influence néfaste pour la santé.

Les maladies et problèmes de santé reconnues comme ayant une origine liées au stress sont :

- Asthme bronchique
- Ulcère gastro-duodénal
- Colite ulcéreuse
- Obésité
- Polyarthrite rhumatoïde
- Lombalgies
- Céphalées et migraines
- Hyper et hypothyroïdie
- Syndrome prémenstruel
- Douleurs chroniques
- Psorisis, zona, eczéma...
- Maladie de Raynaud.
- etc.

Ce sont ce que l'on appelle classiquement des maladies psychosomatiques, dans lesquelles le corps (en grec, soma signifie le corps) et la psyché ont un lien. Mais attention, cela ne signifie pas que telle ou telle maladie soit uniquement d'origine psychique. Comme l'Homme est un Tout, son corps et sa psyché sont intimement liés, l'un et l'autre s'influençant réciproquement.

Ainsi, par extension, toute maladie est d'une certaine manière psychosomatique : que ce soit la grippe, le cancer ou même le sida.

Concernant la grippe par exemple, nous avons beaucoup plus de chances de l'attraper si nous sommes fatigués, épuisés, tant physiquement que sur le plan psychologique. Alors qu'en d'autres occasions, nous serions parvenus à éliminer le virus, dans ce cas nous allons développer la maladie.

Pour le sida, les choses sont différentes, étant donnée la nature du virus. Mais les équipes soignantes, savent que la maladie se développera d'autant plus vite que le stress sera important.

Quant au cancer, de plus en plus de médecins recommandent à leurs patients, outre la chimiothérapie ou les rayons, d'entreprendre une psychothérapie, car ils observent de meilleures chances de rémission avec un tel travail en sus des méthodes classiques.

Cette intrication entre le corps et l'esprit est d'autant plus forte que des études en psychosomatique ont mis en avant la relation entre certains types de comportements et les risques de maladies associés.

Deux types de comportements ont entre autre été précisés pour le moment: le type A et le type C. Les comportements de type A sont de l'ordre de la revendication, de la colère, de l'hyperactivité, de l'impatience. Les individus de type A ont plus de chance de développer des maladies cardiovasculaires.

Les comportements de type C quant à eux sont de l'ordre de l'inhibition, de la nonchalance, de l'inertie, du manque d'expression de ses sentiments. Les individus ayant de tels comportements ont plus de chance de développer des pathologies cancéreuses.

Une fois encore, le développement de telles pathologies n'a pas une cause unique: l'alimentation, le rythme de vie, notre histoire personnelle, notre patrimoine génétique, etc., jouent également un rôle non négligeables. C'est la convergence de plusieurs facteurs qui peut expliquer une maladie, qu'elle soit physique ou mentale.

Quoi qu'il en soit, notre corps nous parle, nous renseigne sur notre état. Quand nous n'écoutons pas nos besoins, que notre équilibre intérieur se rompt, notre corps est là pour nous rappeler à l'ordre, pour nous aider à rectifier le tir.

Nombreux sont par exemple ceux qui sont un jour tombés malade suite à une période d'hyperactivité, de fêtes répétées, d'un surmenage au travail, ou encore suite à une contrariété, à un choc. On prend alors trop souvent comme un problème embêtant la maladie qui s'ensuit. Mais c'est par son biais, que notre corps et notre inconscient nous aide à nous faire entendre raison, à retrouver un équilibre de vie adéquat. Si je ne veux pas entendre cela, et bien, les signaux seront de plus en plus forts, jusqu'à ce que je veuille bien les prendre en compte.

Les aspects psychologiques du stress

Nous l'aurons compris, la dimension psychologique joue un rôle crucial dans notre plus ou moins bonne gestion du stress.

La façon dont nous percevons les événements extérieurs, l'image que nous avons de nous-mêmes, notre passé, notre environnement familial, nos croyances et peurs vont avoir une action directe sur mes capacités d'adaptation, et donc de gestion du stress.

Importance de l'image de soi

Comment puis-je choisir de créer la meilleure des vies possibles si j'ai une mauvaise image de moi, si je crois que je n'en vaux pas la peine ?

La majorité d'entre nous souffrons d'une plus ou moins mauvaise image de nous, et les origines de celle-ci diffèrent d'une personne à l'autre. Il s'agit en général d'aller explorer notre enfance, nos relations avec nos parents et nos frères et sœurs pour trouver des indices sur le pourquoi d'une telle dégradation de notre image : culpabilité, frustration, injustice, etc. Notre personnalité s'est construite tant bien que mal en s'adaptant aux obstacles rencontrées en cours de route, en essayant de gérer les différents stress.

Certains s'en sortent sans trop de casse, d'autres avec des blessures profondes ayant du mal à cicatriser. Certains auront appris qu'ils ont de la valeur, qu'ils sont dignes d'être aimés, d'autres avec la croyance qu'ils ne valent rien, qu'ils sont seuls et aimés par personne…

Nos croyances quant à nous-mêmes conditionnent les différents choix que nous prenons, influençant considérablement nos vies, nous empêchant d'être totalement libres. La prison est alors intérieure, c'est nous-mêmes qui la portons et qui nous nous y enfermons !

Nous sommes des êtres responsables de nos actes et de nos vies, et les difficultés que nous rencontrons viennent en grande partie… de nous-mêmes. Cela peut être difficile à accepter pour certains, et pourtant ! Nous possédons un pouvoir créateur immense, sans limites si ce n'est celles de notre esprit. Tous les jours, la vie nous apprend et nous montre que nous pouvons créer ce que nous voulons. L'impossible n'existe pas.

Tordre des petites cuillères ou des barres de métal par la force de la pensée, c'est possible ! On trouve pour preuve toutes les recherches effectuées depuis l'après-guerre, notamment dans le cadre du projet *Stargate* aux Etats-Unis, orchestré par la CIA lors de la guerre froide.

Voyager dans le temps est également accessible : la voyance en est un bon exemple. Là encore, pour les rationalistes, de nombreuses études scientifiques en apporte la preuve. (Pour ceux intéressés par la parapsychologie, je conseille l'excellent ouvrage de synthèse, très bien documenté : *Psi*, d'Erik Pigani.)

En aparté, ce que nous apprennent les nombreuses expériences effectuées depuis plus d'un siècle dans le domaine de la parapsychologie, c'est que pour que cela marche, il faut y croire ! Les phénomènes ne se produisent en général que dans un environnement ouvert et réceptif : nous pouvons décider d'explorer nos potentialités, comme l'inverse, au risque alors de nous limiter.

De la même manière, pour guérir d'une maladie, il faut le vouloir et y croire. Dans le cas contraire, toutes les thérapeutiques du monde ne seront pas d'une grande aide.

Si tout est possible, alors pourquoi ne sommes nous pas tous heureux, épanouis ? Sans aucun doute parce que notre vision de nous-mêmes ne nous donne qu'une image réduite de nos possibilités…

Et puis, pour s'autoriser à avoir le meilleur que l'on puisse souhaiter, faut-il encore s'aimer suffisamment pour cela. Aimer, c'est se voir ou voir l'autre dans tout ce qu'il a de meilleur, dans toutes ses potentialités. C'est l'amener à s'épanouir, à grandir. C'est lui pardonner ses erreurs.

Qui peut alors dire qu'il s'aime véritablement ? Trop peu en tout cas !

EXERCICE

Spontanément, sur une échelle de – 10 à + 10, où – 10 est le plus négatif, 0 est neutre, et + 10 le plus parfait, évaluez l'image que vous avez de vous-mêmes.

-10 -9 -8 -7 -6 -5 -4 -3 -2 -1 0 1 2 3 4 5 6 7 8 9 10

Pensez-vous vraiment que cette note soit juste ? Etes-vous sûr qu'en réalité elle n'est pas plus élevée ? Si vous pensez à toutes les richesses et potentialités que vous n'avez jamais développées, comment pourriez-vous vous renoter ?

En fait, tout le monde devrait pouvoir se mettre +10. Mais voilà, moi le premier, j'ai un peu de mal à aller jusque là, et pourtant…

Mais cette image de nous, qu'elle soit positive ou négative d'ailleurs, n'est pas immuable. Il est tout à fait possible de la changer, de l'améliorer.

Pour cela, il est important dans un premier temps d'en prendre conscience, de parvenir à se rendre compte que nous nous voyons le plus souvent avec des lunettes déformantes. Sans doute, cette image déformée de nous n'apparaît que dans certaines situations, face à certaines personnes.

Le première étape de la transformation consiste donc en un **repérage**.

EXERCICE

Pensez à trois situations dans lesquelles vous vous êtes sentis bloqués, dans l'inhibition de l'action. Ces épisodes ont donc été une source importante de stress pour vous.

Sur une feuille différente pour chaque cas, vous résumez en une phrase la scène inhibante.

En dessous, vous allez vous efforcez ensuite de détailler ce que vous avez ressenti à ce moment précis, l'image que vous avez eu de vous, la croyance qui vous a submergé.

Ensuite, dans une troisième étape, vous allez tenter de prendre du recul en vous posant les questions suivantes, comme si vous ne faisiez qu'observer la scène: n'y avait-il pas une autre façon de réagir ? L'image que j'ai eu de moi était-elle vraiment justifiée ? N'étais-je réellement pas capable de faire face et de gérer la situation efficacement?

Enfin, observez ces trois situations: ont-elles quelque chose en commun ? Y trouvez-vous des similitudes? Dans ce cas, prenez conscience que ce n'est sans doute pas la situation en elle-même qui vous a inhibé, mais ce que cela vous a rappelé, inconsciemment ou non.

La deuxième étape consiste à **comprendre** pourquoi certaines situations me poussent dans l'inhibition de l'action. C'est sans doute le travail le plus difficile. En effet, les motivations et les raisons à de telles réactions sont le plus souvent inconscientes, pouvant remonter à la prime enfance.

De plus, effectuer un tel travail, c'est accepter de remettre en cause toute la structure sur laquelle je me suis bâti, c'est créer un nouvel équilibre personnel, s'adapter à la nouveauté. Nous le comprenons bien, c'est un travail en lui-même stressant.

D'ailleurs, les personnes ayant déjà entrepris un travail de psychothérapie par exemple, ont souvent eu l'impression que dans le premiers mois, ils allaient encore moins bien qu'à leurs débuts. En effet, le travail effectué ébranle l'équilibre précaire et parfois pathologique sur lequel nous nous étions construit : il nous est alors demandé de véritablement créer une nouvelle réalité, de nous adapter à de nouveaux éléments, ce qui est une source de stress importante.

En outre, il est vrai que c'est une démarche qu'il n'est pas facile d'effectuer seul : nous n'arrivons généralement pas à prendre suffisamment de recul, à relativiser. Le psychothérapeute peut alors être un précieux allié sur le chemin de notre développement.

Mais, fort heureusement, il est possible de corriger cette déformation de notre image, de la tempérer et la modérer par nous-mêmes. Nous sommes tous des êtres exceptionnels, aux facultés et potentialités sans limites. Alors pourquoi ne pas tendre vers l'image la plus élevée que nous puissions avoir ? Pourquoi nous limiter ? Il ne devrait pas y avoir un jour sans que nous ne nous trouvions de nouvelles qualités !

EXERCICE

Sur une période de 21 jours – en sachant qu'on devrait pouvoir le faire tous les jours de notre vie –, tous les matins en vous réveillant et en vous regardant dans le miroir, en y percevant dans vos yeux votre moi profond, votre âme, trouvez-vous une qualité nouvelle.

Notez-les sur une feuille afin de ne pas vous répéter, et pour réaliser ainsi votre diversité et votre richesse intérieure.

Ma perception des événements

Nous ne percevons pas les informations de notre environnement de manière passive : nous avons tendance à sélectionner certains des messages qui nous parviennent, et à en laisser d'autres de côté. Cette sélection s'opère aussi bien en références à nos expériences passées, mais aussi selon l'importance ou la dangerosité de la situation.

L'expérience modifie en général la vision des situations stressantes, mais ne supprime pas le stress.

Exemple

Quand on demande à des parachutistes vétérans d'une part, et inexpérimentés d'autre part, d'auto-évaluer leur niveau de stress la nuit précédant un saut, en arrivant à l'aéroport, en embarquant dans l'avion, avant le saut, et à l'ouverture du parachute, on se rend compte que la perception d'un même événement – le saut – est totalement différente.

Concernant les parachutistes inexpérimentés, le niveau de stress croît jusqu'au moment du saut et diminue ensuite.

Les parachutistes vétérans, eux, ont un pic de stress la nuit avant le saut, puis cela diminue jusqu'au saut en lui-même, avant de remonter après le saut.

Cette différence peut s'expliquer par la connaissance du parachutisme des vétérans, par leur expérience plus importante. En effet, la nuit précédente, ils anticipent le saut, sachant quels dangers ils vont affronter, pensant à tous les problèmes qui peuvent subvenir. Le débutant ne connaissant rien au parachutisme, ne peut faire ce travail d'anticipation. Du coup, son stress augmente jusqu'à l'approche du saut, alors que c'est l'inverse pour l'expérimenté, qui grâce à son entraînement parvient à se contrôler.

Face au même événement, deux personnes vont avoir une perception totalement différente. Mais une même personne , grâce à une préparation, à un entraînement, peut modifier sa propre perception des choses.

D'où l'importance du travail de relativisation et de repérage que nous avons vu précédemment.

Lazarus, en 1966, pour mettre en avant la part active que nous avons dans le traitement de l'information, a crée le modèle de la double évaluation.

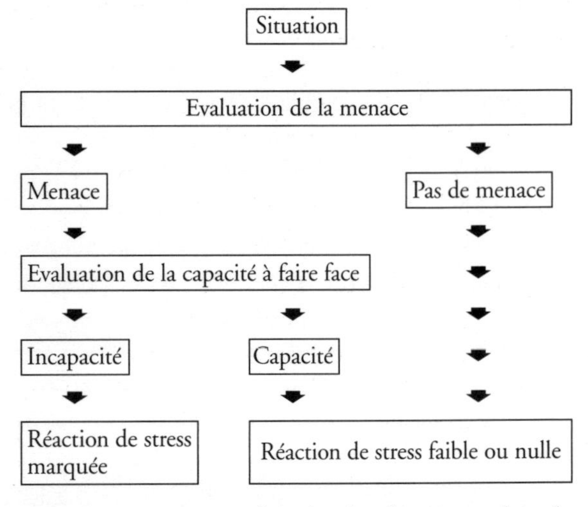

Ce schéma met une fois de plus bien en valeur le rôle prépondérant de l'image de soi dans notre gestion du stress.

Même en face d'une situation difficile à gérer, si je pense que je peux réussir à faire face, j'adopterai un comportement de lutte ou de fuite, mais je ne serai pas dans un comportement d'inhibition de l'action. Les effets du stress sur mon organisme seront alors moindre.

De plus, des liens incontestables existent entre le stress tel qu'il est perçu et le contrôle, ou le sentiment de contrôle , sur son environnement.

On peut ainsi distinguer deux types d'approches par rapport à notre environnement : l'internalité et l'externalité.

- **L'internalité :** c'est la tendance à penser que ce qui arrive dans la vie dépend de soi-même, de ses efforts, de ses attitudes. Les échecs comme les réussites sont interprétés comme étant les conséquences de ses actes.

- **L'externalité :** c'est la tendance à penser que, quoi que nous fassions, les événements qui devaient arriver arriveront, et que ses efforts pour modifier et agir sur le cours du destin sont plus ou moins inutiles.

EXERCICE

Sur cette échelle, évaluez à la fois votre degré d'internalité et d'externalité.

Internalité										**Externalité**
5	**4**	**3**	**2**	**1**	**0**	**1**	**2**	**3**	**4**	**5**

Par exemple, je peux avoir 4 en internalité et 1 en externalité...

Il n'y a pas une bonne manière d'être. L'important, comme toujours, c'est de parvenir à un certain équilibre entre ces deux positions. La flexibilité est un excellent atout dans les processus d'adaptation, permettant une gestion du stress efficace.

Autant un internaliste pur aura tendance à s'accuser de tout ce qui arrive, même s'il n'y est pour rien, autant l'externaliste pur se positionnera vite en victime devant subir les aléas de la vie. Dans ce dernier cas, on comprend bien que la gestion du stress risque d'être difficile, car si je ne suis qu'un jouet dans les mains d'un quelconque destin, à quoi bon chercher à agir ?!? Je n'ai plus qu'à être dans l'inhibition de l'action, avec toutes les répercussions que cela induit.

TEST

Le questionnaire de stress perçu

Ce questionnaire explore le sentiment subjectif de stress ressenti par chacun de nous. Il s'agit d'y répondre en songeant ce qui a été vrai durant le mois écoulé. La meilleure façon de faire est de répondre assez vite, le plus spontanément possible. Entourez le numéro de la réponse correspondant à votre choix.

Au cours du dernier mois, combien de fois...

1. *Avez-vous été dérangé(e) par un événement inattendu?*
   ① Jamais
   ② Presque jamais
   ③ Parfois
   ④ Assez souvent
   ⑤ Souvent

2. *Vous a-t-il semblé difficile de contrôler les choses importantes de votre vie ?*
   ① Jamais
   ② Presque jamais
   ③ Parfois
   ④ Assez souvent
   ⑤ Souvent

3. *Vous êtes-vous senti(e) nerveux(se) ou stressé(e) ?*
   ① Jamais
   ② Presque jamais
   ③ Parfois
   ④ Assez souvent
   ⑤ Souvent

4. *Avez-vous affronté avec succès les petits problèmes et ennuis quotidiens ?*
   ① Jamais
   ② Presque jamais
   ③ Parfois
   ④ Assez souvent
   ⑤ Souvent

5. *Avez-vous senti que vous faisiez face efficacement aux changements importants qui survenaient dans votre vie ?*
   ① Jamais
   ② Presque jamais
   ③ Parfois
   ④ Assez souvent
   ⑤ Souvent

6. *Vous êtes-vous senti(e) confiant(e) dans vos capacités à prendre en main vos problèmes personnels ?*
   ① Jamais
   ② Presque jamais
   ③ Parfois
   ④ Assez souvent
   ⑤ Souvent

7. *Avez-vous senti que les choses allaient comme vous vouliez?*
   ① Jamais
   ② Presque jamais
   ③ Parfois
   ④ Assez souvent
   ⑤ Souvent

8. *Avez-vous pensé que vous ne pouviez pas assumer toutes les choses que vous deviez faire ?*
   ① Jamais
   ② Presque jamais
   ③ Parfois
   ④ Assez souvent
   ⑤ Souvent

9. *Avez-vous été capable de maîtriser votre énervement ?*
   ① Jamais
   ② Presque jamais
   ③ Parfois
   ④ Assez souvent
   ⑤ Souvent

10. *Avez-vous senti que vous dominiez la situation?*
   ① Jamais
   ② Presque jamais
   ③ Parfois
   ④ Assez souvent
   ⑤ Souvent

11. *Vous êtes-vous senti(e) irrité(e) parce que les événements échappaient à votre contrôle ?*
   ① Jamais
   ② Presque jamais
   ③ Parfois
   ④ Assez souvent
   ⑤ Souvent

12. *Vous êtes-vous surpris(e) à penser à des choses que vous deviez mener à bien?*
① Jamais
② Presque jamais
③ Parfois
④ Assez souvent
⑤ Souvent

13. *Avez-vous été capable de contrôler la façon dont vous passiez votre temps ?*
① Jamais
② Presque jamais
③ Parfois
④ Assez souvent
⑤ Souvent

14. *Avez-vous trouvé que les difficultés s'accumulaient à un tel point que vous ne pouviez les contrôler ?*
① Jamais
② Presque jamais
③ Parfois
④ Assez souvent
⑤ Souvent

(réf. Cohen S., Williamson C.M., 1988.)
(Cohen et Williamson, traduction et adaptation française de Bruno Quintard)

Faites ensuite le total de vos points, en additionnant tous les chiffres que vous avez entourés.

Les études de validation de ce questionnaire sont en cours. Il n'est donc pas possible de dire quelle note peut-être considérée comme normale. Plus votre score se rapproche de la note maximale, qui est de 70, plus votre niveau de stress perçu est à prendre en considération.

En nous reposant sur notre expérience personnelle au sein des groupes de formation où nous faisons passer ce test, nous pouvons dire qu'au dessus de 40, vous avez tendance à déformer d'une façon plus stressante les événements.

Des besoins à respecter

Pour résumer, la principale difficulté dans la gestion du stress, c'est d'agir, c'est-à-dire de faire respecter ses besoins dans un environnement qui peut s'y opposer.

L'important dans un premier temps, c'est donc d'agir, sans considérer les résultats de nos actions. En état de stress, il est demandé avant tout à notre corps de lutter ou de fuir.

Mais voilà ! La vie en société a ses règles et ses interdits. On ne peut pas toujours fuir la situation stressante, le patron qui nous sermonne par exemple; ou taper sur le collègue qui nous énerve prodigieusement...

Bien souvent, dans une journée, et dans les semaines, les années qui se suivent, nous sommes la majeure partie du temps contraint d'être dans l'inhibition de l'action. Cette inhibition va conduire à l'angoisse, au mal-être. C'est pour cette raison qu'il est particulièrement important d'être vigilant au quotidien, de ne pas se laisser déséquilibrer et épuiser par tout ce stress.

Le plus difficile est sans doute de connaître ses besoins et d'arriver à les faire respecter. Mais bien souvent, nous ne nous sommes jamais posé la question de nos besoins fondamentaux. Nous réagissons au coup par coup, selon les aléas de nos existences, mais sans véritablement être acteurs de nos vies. Nous revenons ainsi sur la notion de responsabilité, mais elle est essentielle.

Etre responsable de sa vie, c'est d'une certaine façon être libre de ses choix, de ses actes. Le but est alors d'agir parce que nous l'avons choisi, et non parce que nous sommes contraints de le faire.

L'action n'est pas la réaction.

Un peu comme aux échecs, il faut avoir plusieurs coups d'avance pour pouvoir commencer à être libre, à prendre des initiatives. Et pour ne pas se laisser dépasser par les événements, une règle d'or : avoir des fondations solides. Si une armée veut être efficace et victorieuse, si elle veut pouvoir s'adapter à toutes les situations qui peuvent se présenter, il lui faut de l'entraînement, mais aussi une infrastructure solide sur laquelle s'appuyer.

Il en est de même dans nos vies. Nous avons des besoins fondamentaux qui doivent être assouvis si l'on veut pouvoir continuer à se développer.

Pour illustrer ce point, nous allons présenter ici la célèbre pyramide des besoins de Maslow. Il ne s'agit bien sûr que d'une représentation schématique et forcément réductrice, mais elle n'en demeure pas moins un bon outil.

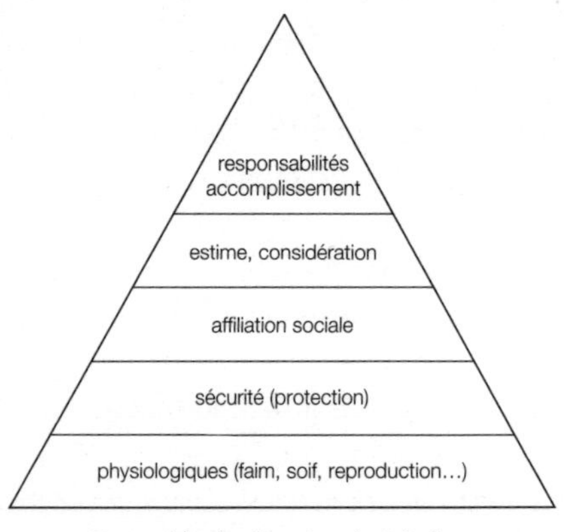

Pyramide des besoins de Maslow

L'intérêt de représenter nos besoins sous la forme d'une pyramide, c'est de mettre en avant l'importance d'avoir un niveau de base satisfait avant de pouvoir continuer la construction de la pyramide.

Ainsi, si j'ai des problèmes relationnels importants, que je me coupe de mon entourage, de mes amis, de ma famille, il me sera très difficile de parvenir à assouvir mon besoin de reconnaissance, d'estime, et a fortiori encore plus de m'accomplir pleinement.

Cette pyramide peut également servir de grille de lecture lorsque je ne suis pas satisfait dans ma vie : sur quel besoin ma frustration porte-t-elle ? Le niveau précédent est-il alors suffisamment solide et construit ?

Plus ma pyramide personnelle est basse, et plus je risque de souffrir d'un stress que je ne parviens pas à gérer. Prenez en outre bien conscience de la relative fragilité de cette pyramide…

Nous voyons ainsi comment la « descente » peut être rapide si nos fondations ne sont pas solides, et comment quelqu'un sans emploi et sans proches (amis, famille) peut très vite se retrouver à la rue…

Il ne s'agit pas de faire peur, mais plutôt de prendre conscience que l'équilibre dans lequel nous vivons est fragile, et qu'il demande à être entretenu grâce à une vigilance de tous les instants.

Exemple

Bruno est un homme d'une trentaine d'années. Il vient de perdre son travail suite à un licenciement économique brutal. Il est alors sans emploi.

Ses besoins de responsabilités, d'accomplissement ne sont alors plus assouvis. De plus, comme ceux qui l'ont déjà expérimenté pourront en témoigner, le chômage n'est guère valorisant, et pour soi, et vis-à-vis des autres. Le besoin d'estime et de considération de Bruno n'est alors plus satisfait.

De plus, Bruno avait divorcé quelques mois auparavant, se retrouvant seul affectivement, mais aussi amicalement, car les seules personnes qu'il voyait en dehors de son travail qui lui prenait beaucoup de temps, c'étaient les amis de son ex-femme. Son besoin d'affiliation sociale est donc lui aussi atteint. S'ensuit plusieurs mois de forte déprime ne lui donnant guère l'envie d'entreprendre quoi que ce soit. La question de la sécurité se pose : avec quel argent va-t-il continuer à vivre ?

Il ne faut négliger aucun de nos besoins, même si notre priorité paraît se situer ailleurs : c'est un investissement sur le long terme !

Nous l'avons souligné maintes fois, il est crucial de considérer toutes nos dimensions si nous voulons avoir une gestion du stress efficace : chacune avec une égale importance.

Notre culture met en avant le corps, faisant son apologie, nous réduisant à cet amas de cellules qui ne seraient rien sans notre personnalité et notre âme. Nous vivons dans un véritable matérialisme centré sur le corps… Mais pas n'importe lequel : une seule représentation prévaut ! Il doit être jeune, imberbe, bronzé, musclé pour les hommes, mince voire rachitique pour les femmes, etc.

Ainsi, des millions d'individus se précipitent dans une quête perdue d'avance, croisade sans espoir vers un hypothétique bonheur se résumant à chercher l'admiration de leur entourage.

Las ! Des pectoraux bien gonflés : telle est leur quête ! Le paraître se substitue à l'être. Pire, c'est d'un paraître frustré dont il s'agit. Car ils oublient tous que leurs égéries sont virtuelles, remodelées, sculptées et tronquées par la magie de l'informatique. La chirurgie peut faire des progrès, le malaise reste profond, car aucune opération ne peut changer l'image plus ou moins valorisée que l'on a de soi. Tout au plus, le bistouri peut-il nous donner l'illusion « d'être » mieux.

Mais peut –on vraiment parler d'être ?

Sans doute une telle mise en avant du corps cache-t-elle un malaise bien plus profond que nos entrailles : l'angoisse de l'imperceptible, la peur de ne trouver que du vide au-dedans de soi.

Mais il y a aussi l'oubli… Notre société a volontairement oublié la richesse de notre être, que tout ce qu'on croit contrôler n'est en fait qu'une façade, une illusion. Que la Réalité est si vaste qu'on ne peut vraiment l'appréhender, qu'on ne peut tout maîtriser.

Pour lutter contre cette vérité anxiogène, nous en avons pris le contre-pied : tout est contrôlable, mesurable, quantifiable ! Le « rationalisme » étriqué et dogmatique s'oppose à l'ouverture et la conscience du Tout. Nous sommes même allés jusqu'à institutionnaliser en religions nos vies spirituelles, les enfermant dans un carcan de préjugés, de lois absurdes, entretenant la soumission par la culpabilité.

Mais on ne peut faire taire notre véritable nature, et malgré les interdits, les pressions, une conscience reste éveillée, cherchant à se rappeler et à se rapprocher de qui nous sommes vraiment ! J'en veux pour preuve le succès mondial fulgurant de *Conversations avec Dieu* de Neale Donald Walsch, entre autre.

Vous ne voyez peut-être pas le lien avec le stress. Et pourtant il est évident ! On ne peut s'épanouir au quotidien et être en harmonie avec son entourage si on n'a pas conscience des liens intimes qui nous unissent à lui.

Ce que je vis intérieurement a ainsi un lien et une influence avec ce que vit mon entourage. Nous retrouvons le pouvoir créateur de notre pensée dont nous avons parlé précédemment.

Par exemple, si un père de famille n'arrive pas à gérer le stress excessif de son travail, restant le plus souvent dans l'inhibition de l'action de peur de se faire renvoyer, il peut devenir irritable voire agressif avec sa femme et ses enfants, créant une véritable réaction en chaîne de stress.

Encore un exemple. Quelqu'un complètement coupé de sa vie spirituelle, de la réalité profonde de la vie – tout est dans tout, intrasèquement lié – peut avoir l'impression d'être seul, isolé. La croyance que personne ne peut la comprendre pourra s'installer. De ce fait, quand bien même cette personne sera avec un partenaire aimant et attentif, avec des amis sincères, etc., elle risquera de maintenir une perception de la réalité fausse : je suis seul(e). Sa propre vision des choses créera ainsi le contenu de son vécu intime.

Mais le développement de notre vie spirituelle peut nous aider à éliminer ce genre de croyances de nos schémas de pensée. Prendre conscience et vivre jusque dans nos cellules la formidable reliance aux autres, au Tout, spontanément ou grâce à des techniques comme la méditation, ne peut que nous aider à lutter contre des peurs d'être seul ou différent… Nous partageons bien plus que nous le croyons avec notre environnement, et une influence constante s'exerce entre lui et nous.

Vous en doutez ? Pourtant, bien des expériences scientifiques le montrent. Sans rentrer dans le détail, les curieux pourront s'informer sur internet du Global Consciousness Project mesurant la charge émotionnelle de la conscience collective de groupes ou de population lors d'événements stressant par exemple.

D'autres expériences validées par différentes équipes de chercheurs révèlent l'influence de la pensée sur la croissance de plantes, la portée de la prière sur l'état de santé de malades, etc.

Et que penser des multiples interférences et contacts avec l'au-delà ? J'ai ainsi rencontré plusieurs personnes qui, dans le secret du cabinet du psychologue (ouvert à cela), expliquent comment un proche décédé est venu leur parler en rêve, ou comment ils ont eu un message de leur part, avant même qu'il soit mort, et sans être au même endroit !

Les sceptiques sont nombreux, et les dénigreurs légions. Dernier moyen de répression de l'éveil des consciences : qualifier de sectaire tout groupe proposant des solutions alternatives à la médecine, faisant du développement personnel… Bien-sûr les exploiteurs existent, mais souvent les véritables abuseurs se trouvent plutôt du côté des accusateurs et dénonciateurs pétris par la peur !!!

Pourtant, comment scotomiser des millénaires d'expériences humaines, des faits manifestes ?!? La peur. Voilà sans aucun doute la raison d'un tel obscurantisme.

Ne nous laissons pas aveuglé par elle, et essayons d'avoir confiance en nos propres capacités. Nous parlions auparavant de l'influence de notre perception sur notre gestion du stress. Et bien, quoi que nous pensions sur la vie, Dieu, etc., une chose est certaine. Il est meilleur pour notre santé et notre bien-être de voir un monde parfait, où chaque chose a un sens, où tout est possible, où je suis constamment le créateur et non la victime.

C'est une question de choix, et c'est une décision qui se travaille quotidiennement…

Quel est VOTRE choix ?

Décidez-vous de vous réaliser pleinement, ou bien de regarder passivement les occasions passer devant vous ?

Qu'êtes-vous prêt à accomplir pour devenir qui vous êtes vraiment ?

Le temps du changement est venu!

Les techniques de gestion du stress

Vous avez fait votre choix ?
Reste à l'appliquer, à trouver les moyens au quotidien de parvenir à nous développer, et déjà à bien gérer notre stress.

Plus ou moins directement, nous avons déjà abordé la question, et nous l'aurons compris : **il n'y a pas de méthodes miracles !** Rome ne s'est pas faite en un jour, et nous avons toute un vie pour nous construire. De plus, il faut souvent réussir à défaire des peurs, des croyances et des habitudes ancrées depuis de nombreuses années.

Bref, le voyage demande du courage, le plus important étant le premier pas.

La relaxation

La relaxation regroupe un ensemble de techniques ayant pour but d'obtenir un niveau de tension musculaire le plus faible possible, accompagné d'une sensation d'apaisement psychologique, tout en maintenant l'esprit en éveil.

De nombreuses méthodes existent : de la relaxation musculaire de Jacobson au Training autogène de Schultz.

Nous choisissons en général une méthode « par hasard », au gré des rencontres. L'important est de se sentir à l'aise avec une façon de travailler.

Le véritable apprentissage de la relaxation, pour qu'elle devienne le plus efficace, se fait avec un relaxologue, avec un guide. Le thérapeute vous dirige, vous accompagne vers le bien-être. Il vous aide à surmonter les obstacles et les blocages intérieurs.

Mais vous pouvez également effectuer un bon travail seul. Pour notre part, le travail accompagné est sans doute le plus accompli, mais des progrès considérables peuvent aussi être faits seul.

Quoi que vous choisissiez, une règle d'or :

patience, constance, régularité

Tel un instrument de musique, notre corps, notre être tout entier, a besoin de répétitions et d'entraînement pour sonner juste.

L'essentiel des techniques de relaxation est basée sur le travail de la respiration. Voici donc pour commencer un exercice de respiration contrôlée.

LA RESPIRATION CONTRÔLÉE

L'objectif est de modifier sa respiration dès que le stress se fait ressentir. De rapide et superficielle, votre respiration doit devenir lente et profonde. Cinq minutes suffisent pour réaliser l'exercice.

- Prendre une position assise ou allongée confortable.
- Fermer les yeux et se concentrer sur sa respiration. Un bon entraînement permet de garder les yeux ouverts si on le souhaite.
- Mettre les mains à plat sur le ventre et inspirer en gonflant l'abdomen. Souffler en rentrant le ventre. Avec vos mains, prenez conscience des mouvements de votre respiration.
- Se concentrer sur l'air qui entre et sort des poumons. Ressentez l'air frais passant dans la gorge, jusqu'au fond des poumons. Sentir ensuite l'air chaud en sortant.
- Puis, mentalement, répétez plusieurs fois tout en continuant à respirez profondément : «Je suis détendu. Je suis calme. L'air frais rentre et sort de mes poumons. Je suis relâché.».

○ Après cinq minutes, prenez votre temps pour vous lever. Etirez-vous! Vous êtes alors prêts à reprendre votre activité…

Ensuite, nous vous conseillons d'associer une relaxation-minute réalisable plusieurs fois dans une journée, avec une relaxation – récupération plus approfondie.

La relaxation-minute permet de contrôler le niveau de stress, d'éviter qu'il monte trop haut. La relaxation-récupération quant à elle, tend non seulement à faire diminuer notre niveau de stress, mais aussi à se détendre suffisamment pour pouvoir récupérer. Il ne s'agit alors plus uniquement de limiter la hausse du stress ressenti, mais de lutter contre l'épuisement en acquérant de nouvelles forces.

LA RELAXATION-MINUTE

En quelques minutes, et d'autant plus vite que vous aurez de l'entraînement, vous pouvez vous plonger dans un état de relaxation vous permettant de rester opérationnel et efficace.

Cette relaxation sera surtout efficace si vous pratiquez régulièrement en parallèle une relaxation approfondie, et si vous faites cet exercice régulièrement tout au long de la journée, en prévention d'un niveau de stress important.

- Détendez-vous dans une position confortable, en restant immobile.
- Prenez conscience de votre respiration.
- Respirez naturellement sans vous forcer ni retenir votre souffle.
- Prenez conscience que votre expiration est passive, que vous ne faites rien pour la forcer : comme un ballon qui se dégonfle.
- Détendez-vous alors un peu plus à chaque expiration, laissant chacun de vos muscles se relâcher.
- Au bout de quelques minutes, prenez tout votre temps pour reprendre votre activité.

Quant à la relaxation-récupération, le plus pratique et le plus efficace seul – à un moindre coût – est encore de s'acheter une des nombreuses cassettes audio de relaxation disponibles sur le marché, et qui sont souvent bien faites.

Il est en tout cas important d'avoir une voix pour nous guider, car le travail de relaxation et de récupération n'est pas synonyme de sommeil !!! C'est un travail à part entière, avec paradoxalement une démarche active sous l'apparente passivité.

Je vous invite vivement à la pratiquer, ne serait-ce qu'une heure par semaine. Ceux qui ne voient pas comment prendre ce temps pour être seul et tranquille, devrait s'inquiéter de leur organisation de vie…

En tout cas, une heure par semaine de relaxation-récupération, accompagnée d'une pratique quotidienne et répétée de la relaxation-minute, et je peux vous assurer que des progrès se feront sentir.

Une bonne hygiène de vie

Nous ne le redirons jamais assez, une gestion efficace de son stress et une vie épanouie passent d'abord par une hygiène de vie saine. Que ce soient l'alimentation, le sommeil, le tabac, la régularité de notre rythme de vie, etc., les changements que nous devrions opérer dans nos vies sont nombreux ! Et trop souvent nous ne faisons rien, alors que c'est sans doute ce qu'il y a de plus influençable. Ce n'est d'une certaine manière qu'une question de volonté.

Dans un premier temps, pour vous rendre compte du déséquilibre de nos vies, ainsi que des agressions constantes que nous infligeons à notre organisme, voici un petit test…

MON HYGIÈNE DE VIE EST-ELLE SOURCE DE STRESS?

Répondez le plus sincèrement aux questions suivantes, en additionnant les points correspondant à vos réponses.

1. *Dormez-vous suffisamment ?*
   Oui : 0
   Non : 10

2. *Vos horaires de sommeil sont-ils réguliers ?*
   Oui : 0
   Non : 5

3. *Subissez-vous des nuisances sonores ?*
   Oui : 5
   Non : 0

4. *Pratiquez-vous un sport ou une activité physique régulièrement (3 h par semaine) ?*
   Oui : 0
   Non : 10

5. *Marchez-vous régulièrement ?*
   Oui : 0
   Non : 5

6. *Fumez-vous plus de 20 cigarettes par jour ?*
   Oui : 10
   Non : 0

7. *Entre 10 et 20 cigarettes par jour ?*
   Oui : 5
   Non : 0

8. *Buvez-vous plus de 5 tasses de café par jour ?*
   Oui : 10
   Non : 0

9. *Entre 2 et 5 tasses de café par jour ?*
   Oui : 5
   Non : 0

10. *Buvez-vous plus de 5 thés par jour ?*
    Oui : 5
    Non : 0

11. *Mangez-vous plus d'une tablette de chocolat par semaine (ou équivalent) ?*
    Oui : 5
    Non : 0

12. *Buvez-vous moins d'un litre d'eau par jour ?*
    Oui : 5
    Non : 0

13. *Votre alimentation vous paraît-elle déséquilibrée ?*
Oui : 10
Non : 0

14. *Buvez-vous au moins une bouteille de vin par jour (75 cl) ?*
Oui : 10
Non : 0

15. *Buvez-vous un alcool plus de trois fois par semaine ?*
Oui : 10
Non : 0

16. *Prenez-vous régulièrement du repos ?*
Oui : 0
Non : 10

17. *Vivez-vous dans un espace surpeuplé ?*
Oui : 5
Non : 0

TOTAL : ________

Ce rapide petit bilan évalue la qualité de votre hygiène de vie. Quelles que soient votre activité professionnelle, votre vie personnelle, l'absence de ces stress vous permet de mieux résister à la pression extérieure.

Entre 30 et 60 points, votre hygiène de vie n'est pas propice à une bonne gestion du stress. Votre corps souffre d'une accumulation de stress qui ne lui permet pas de récupérer.

Au-delà de 60 points, votre hygiène de vie vous prédispose à des problèmes de santé. Vous devez non seulement faire face à toutes les tensions externes, mais aussi à celles que vous provoquez en ne vous occupant pas de votre corps, voire en le détruisant. Il est temps de réagir pour renforcer vos défenses. Mais attention aux changements brusques qui ne durent pas, cela crée des stress encore plus importants.

Bref, en matière de gestion du stress, il n'y a pas une façon de procéder. L'important est de considérer et d'agir selon toutes nos dimensions : corps, psyché, âme.

Conclusion

Notre vie est précieuse, et nous sommes riches de possibilités insoupçonnées ! Tout est à créer, aussi bien en famille que dans une population. L'équilibre et l'épanouissement sont sans aucun doute à portée de main.

Mais charité bien ordonnée commençant par soi-même, nous devrions tous travailler sur nous pour réaliser qui nous sommes vraiment, dans notre essence.

Mais voilà, nous nous détruisons, nous ne nous aimons pas ! Du coup, le stress nous assaille, nous empoisonne insidieusement et lentement, jusqu'à l'épuisement.

Mais nous sommes responsables de cet état de fait ! Notre santé, notre bien-être n'est que le fruit de nos choix… ou de nos non-choix.

Réagissez !

Réagissons !

Ce livre vous a donné quelques pistes, quelques directions à explorer. Mais en aucun cas il ne prétend être exhaustif ou complet. Il ne présente finalement que la vision et la réflexion d'une personne elle-même en proie au stress, à ses travers.

Néanmoins, nous espérons que ces lignes ont pu ouvrir des portes à certains, et pourquoi pas aider d'autres...

Quoi qu'il en soit, le choix est entre vos mains : faites le bon !

Achevé d'imprimer sur rotative
par l'imprimerie Darantiere à Dijon-Quetigny
en septembre 2009

Dépôt légal : novembre 2001
N° d'impression : 29-1245

Imprimé en France

Dans le cadre de sa politique de développement durable, l'imprimerie Darantiere a été référencée IMPRIM'VERT® par son organisme consulaire de tutelle. Cette marque garantit que l'imprimeur respecte un cycle complet de récupération et de traçabilité de l'ensemble de ses déchets.